Decoración con Frutas

Decoración con Frutas

Tallado y corte   Ofelia Audry

SERIE ARTE EN LA MESA

EDITORIAL
TRILLAS

México, Argentina, España
Colombia, Puerto Rico, Venezuela ®

Catalogación en la fuente

Audry, Ofelia
    Decoración con frutas : tallado y corte. -- México :
Trillas, 1998 (reimp. 1999)
    88 p. : il. col. ; 27 cm. -- (Arte en la mesa)
    ISBN 968-24-4663-5

    1. Mesa - Arreglo y decoración. 2. Cocina. I. t.

D- 641.568'A847a   LC- BJ2038'A8.3   3041

Derechos reservados
© 1998, Editorial Trillas, S. A. de C. V.,
División Administrativa, Av. Río Churubusco 385,
Col. Pedro María Anaya, C. P. 03340, México, D. F.
Tel. 6884233, FAX 6041364

División Comercial, Calz. de la Viga 1132, C. P. 09439
México, D. F. Tel. 6330995, FAX 6330870

Miembro de la Cámara Nacional de la
Industria Editorial. Reg. núm. 158

Primera edición, 1998 (ISBN 968-24-4663-5)

Primera reimpresión, noviembre 1999

Impreso en México
Printed in Mexico

Esta obra se terminó de imprimir y encuadernar
el 30 de noviembre de 1999,
en los talleres de Rotodiseño y Color, S. A. de C. V.
BM2 100 IW

Prólogo

Tomé, hace cerca de diez años, un curso llamado "Arte mukimono" con la profesora Ora Anakanenda, para decorar platillos, transformando frutas y hortalizas en flores. Dicho curso se basaba en los principios fundamentales de la talla y de los cortes. Después de concluido, se despertaron mis inquietudes para la decoración de los banquetes. Con el fin de aumentar mis conocimientos, me acerqué a los profesionales de los grandes hoteles de Acapulco, quienes –amables, pero herméticos (siempre tienen el tiempo encima)– me permitieron visitar sus cocinas, verdaderos laboratorios en los que se preparan alimentos para 2000 o 3000 personas diariamente. Tener la oportunidad de trabajar en dichos lugares, en forma privilegiada, fue una oportunidad especial para que creciera y madurara la idea de formar un álbum con los trabajos de decoración de diferentes platillos.

En Europa, una profesora oriental afinó y acrecentó mi trabajo mediante un curso. Para ese entonces empecé a sentir la necesidad de compartir este arte. Me acerqué a Editorial Trillas y ésta aceptó con entusiasmo el proyecto, el cual, para realizarse, requirió de mucho tiempo, ya que yo pretendía incluir *todas* las posibilidades de decoración con frutas y verduras.

Sin proponérmelo, poco a poco se formaron grupos de alumnos entre mis conocidos y mi formación de maestra me permitió no atesorar los "secretos de la profesión" y entregarme plenamente, lo que provocó su cariño, apoyo y el estímulo para ser lo más profesional posible en el arte mukimono. Por haber descubierto e inventado algunas técnicas y asistido a clases de talla con el profesor Roberto Alvarado –ilustre maestro de la Academia de San Carlos– fui invitada a trabajar en la televisión. Esto ocasionó que llegara a muchos hogares como una amiga y en esa condición fui tratada y buscada por cientos de personas. Ese hecho muy grato me proyectó a los grandes hoteles de Cancún, México, Estados Unidos y Centroamérica.

Es necesario resaltar que el arte mukimono, aunque tiene siglos de desarrollo en Oriente, es prácticamente nuevo en América y Europa. Aunque los profesionales admiran sus técnicas, aún no las dominan.

Tuve la satisfacción, como mexicana, de ser maestra de grandes *chefs* franceses, lo cual me dio la seguridad de que este libro será semillero de creaciones y disfrute para muchas personas, así como terapia y gozo para muchos profesionales y aficionados.

Actualmente trabajo impartiendo la clase de decoración y ornato de platillos y mesas en la Universidad Iberoamericana, en el diplomado de chefs e igualmente en la Universidad del Claustro de Sor Juana, así como en la Universidad Anáhuac.

He ganado concursos internacionales entre ellos la medalla de oro "Amigos de Escoffier" que otorga Francia y el 1er. lugar en la Sociedad Filantrópica Culinaria de Nueva York en noviembre de 1994, siendo la primera mexicana que lo logra.

A lo largo de este prólogo he expresado varias veces la palabra arte. La Real Academia Española dice de ella, en su diccionario: "acto o facultad mediante el cual, valiéndose de la materia, de la imagen o del sonido, imita o expresa el hombre lo material o lo inmaterial y crea copiando o fantaseando"/ "conjunto de preceptos y reglas necesarios para hacer bien una cosa"/ "arte decorativo" es toda manifestación de arte aplicado con objeto de aumentar la vistosidad, el lujo, la riqueza y, por tanto, el valor de un objeto o de un conjunto de ellos". Nada más acertado para describir el conjunto de trabajos que se expone en este libro.

Mi esfuerzo descorrió el velo de ciertos "secretos profesionales", para ponerlos al alcance de todos los interesados en el arte gastronómico. Ojalá se vea cumplido mi propósito.

LA AUTORA

Agradecimientos

Deseo agradecer a la profesora Liza de Grajales, por su trabajo de rosas de papa frita; al señor Sergio Bustamante por facilitarme sus cerámicas, y al señor Miguel Ángel Pineda por sus esmaltes.

Arte mukimono

La cocina es un laboratorio misterioso, donde con habilidad y sabiduría se mezclan las especias y las yerbas para crear sabores sofisticados, únicos, gratos al paladar. Es un patrimonio que pertenece a la humanidad, heredado y enriquecido tras generaciones. Tan cotidiana de la vida humana y tan selecta para los selectos. Refleja definitivamente la cultura y la idiosincrasia del pueblo.

En el periodo Edo (1615-1867) nace en Japón el Arte mukimono, el cual agrega un toque bello a la cocina japonesa, otorgándole su inconfundible personalidad. Detrás de la presentación artística de los platillos que son delicia al paladar y a los ojos, se oculta la filosofía oriental o la percepción de la naturaleza, que un observador minucioso también logrará captar.

La introducción de este arte en México, con su más innata y fecunda tradición en el arte culinario, es como si se hubiese descubierto una nueva especie exquisita que desarrollará una nueva etapa de su evolución, con la fusión de las dos culturas.

LIC. HAJIME NAGANUMA
Agregado cultural
Embajada de Japón en México

Presentación

Ofelia Audry
Mexicana Universal

Es el arte el que hermana a los pueblos; es el arte donde el hombre refleja su capacidad creativa. Afán de colaborar con la naturaleza para afinar, convertir o transformar una evidencia en otra más elaborada fórmula humana, para adueñarse de ella.

Leonardo talló e hizo tallar en zanahorias el rostro de Ludovico el Moro, para su fracasado banquete; por otro lado, ninguna de las maquetas de sus grandes inventos se conserva, porque los destinatarios las comían con fascinación por estar hechas de mazapán.

El virrey Iturrigaray se asombró del arte con que los reposteros novohispanos reprodujeron en azúcar a la sabiduría, la elocuencia, la ciencia, la filosofía, la teología y demás formas del conocimiento del hombre, con motivo de su visita a la Real y Pontificia Universidad.

En estas líneas de creación se sitúan los trabajos de *Ofelia Audry* en alarde que sobrepasa al mukimono japonés; el cual se sirve tradicionalmente también del arte *kaishiki* que es la destreza en el manejo de los cuchillos.

Con su sensibilidad y creatividad mexicana, la autora de esta obra crea una nueva, diferente forma de expresión artística, que usted, amigo lector, puede aprender gracias a este libro didáctico e incitante, que le permitirá derrochar su imaginación en trabajos que conllevan en su gran belleza lo efímero de su duración.

GUADALUPE PÉREZ SAN VICENTE
Consejo de Gastronomía del Claustro de Sor Juana

9

Medalla de oro de Francia "Amigos de Escoffier", y diploma a la profesora *Ofelia Audry*, otorgados por la Sociedad Filantrópica Culinaria de Nueva York.

Abajo, 2 medallas de oro y diplomas de la Olimpiada Culinaria Berlín 1996, en Cocina Artística

Introducción

Escribir acerca de la creatividad es tarea grata pero difícil por su extraordinaria diversidad y porque representa el reto de no caer en la redundancia ni omitir al tratar de simplificar. Por tanto, haré un bosquejo general sobre la necesidad del hombre "único animal que cocina" de decorar sus alimentos, compartirlos, ofrendarlos y jugar con ellos.

Después de que el hombre prehistórico aprendió a cocer la carne y calentar sus "caldos", introduciendo piedras calientes en ellos, la evolución de la gastronomía y la fastuosidad en los banquetes llega a excelsitudes insospechadas.

Desde la antigüedad los hombres de muchísimos pueblos, llevados por la creencia de una vida ultraterrena de las almas, agasajaron a los muertos colocando en la tumba objetos que los difuntos consideraron indispensables, así como los alimentos que prefirieron en vida. En determinadas épocas se esparcía vino sobre la sepultura y el banquete fúnebre se celebraba en la cueva del finado, pero empezó a desviarse de su condición para dar cabida al honor de los dioses, por lo que la compañía se amplió y fue necesario disponer de mesas en el exterior, a la sombra de los árboles, en una tienda o una glorieta, o ante la fachada de una tumba adornada ex profeso. Eso lo muestran varios frescos descubiertos en la antigua Etruria.

En Egipto, las comidas funerarias se celebraban frecuentemente y consistían en ofrendas de pan, licor, agua y viandas. Ellas se aprecian en las grandes inscripciones de Beni-Hassan.

Todos los pueblos de la antigüedad realizaban comidas en honor de los muertos, las cuales terminaron, de una manera u otra, en banquetes litúrgicos en honor de los dioses.

Textos antiguos, entre ellos griegos y romanos, tratan de la alimentación. Por alumnos de Teofrasto y por Arquestrato se sabe que hicieron varios viajes a diversos países con el único propósito de aprender cómo se alimentaban. Ateneo, filósofo sofista y retórico griego, en su obra *El banquete de los sofistas*, cita a Endemo y Apicio, quienes escribieron verdaderos tratados de cocina. Apicio fundó una academia en la que enseñaba el arte de la gastronomía. Gracias a Petronio podemos "degustar" del banquete de Trimalción, en el cual los alimentos eran presentados con arte y maestría.

Los orientales trasmitieron la fastuosidad en los banquetes a los griegos, y éstos a los romanos. Egipto, en su tiempo, recibió el influjo a través de Julio César y Cleopatra lo refinó.

En la Edad Media se empezaron a hacer las figuras de azúcar, aplicando el arte del vidrio soplado de Venecia. Se dice que en esta ciudad se ofreció un banquete a una delegación florentina, en el que los platos y los cubiertos eran de azúcar.

El gran escultor Bernini realizó con frecuencia trabajos en azúcar de estilo arquitectónico, cargados de frutas, que se mostraban al comenzar los banquetes, se retiraban para dar paso a los platillos y los regresaban al concluir la serie de

platillos, para que los invitados tomaran lo que apetecieran.

En el siglo XVIII los franceses pusieron de moda la pasta llamada *sablé* para decoraciones con azúcar de colores, sobre bases de vidrio o azúcar blanca. ilustre Antonin Caréme.

Como adorno de las mesas se emplearon servilletas con dobleces que figuraban pavos reales, flores, cisnes, abanicos. En cierta ocasión, el papa Gregorio VII ofreció un banquete y la mesa se decoró con servilletas que representaban un maravilloso castillo. En 1665, en la ciudad de Nuremberg, Georg Phillipp publicó un libro en el que expuso múltiples formas de decorar con servilletas y frutas.

En Francia surgió el arte de tallar en hielo hermosas figuras que decoraban efímeramente y que impactaban visualmente a los comensales. En la actualidad, a veces se les agrega hielo seco, frutas o luces de colores para hacer todavía más grata su presencia. Los japoneses, en la década de los cincuenta, se enamoraron de este arte y tienen actualmente grandes maestros.

En este siglo, en Francia, muchos panaderos inventaron múltiples formas de panes. En esto destacó Lionel Poilane, quien hizo una recámara de pan para Salvador Dalí.

Los huevos de las aves han sido utilizados desde la más remota antigüedad. Los que más se apreciaron fueron los de faisán y los de pavo real. Los sumerios los usaron alrededor del año 2600 a. C. y poco después los cascarones coloreados los conocieron en China, Egipto e Irán. Existen en Grecia pruebas de cascarones de huevos de gallina decorados 2000 años antes de nuestra era.

Los huevos se consideraron símbolo de la creación del universo, de la fertilidad y de la vida; y también como oráculo, defensa contra el mal y como factor de salud; el cristianismo hizo culto de ellos y los convirtió, en Pascua, en símbolo de la resurrección de Cristo.

Los cascarones se decoran con cariño y en forma general se aplica el arte popular de cada pueblo. Destacan en ellos los países del sureste de Europa, como Ucrania, Polonia, República Checa, Eslovaquia, Hungría, Rumania, Grecia, Austria y Alemania. En México, el matrimonio Villaseñor ha obtenido primeros lugares en competencias internacionales de decoración de grandes cascarones de huevos de avestruz en los que aplicaron diferentes técnicas y diseños.

Hay infinidad de anécdotas sobre la decoración hecha a base de alimentos. Algunas son macabras,

como la de aquel misionero que en Guinea fue "decorado" con una cruz comestible para ser ingerido por los caníbales, que pensaban, así, obtener las "fuerzas sagradas" que el infeliz había ido a propagar.

Muchos artistas se han inspirado en los alimentos para sus creaciones, entre los más célebres se encuentra Giuseppe Arcimboldo, artista italiano del siglo XVI; sus retratos hechos a base de frutas y legumbres lo hicieron famoso mundialmente.

Desde hace siglos se practica en Japón el arte llamado mukimono, que consiste en tallar y realizar diversos cortes en frutas y verduras para convertirlas en flores o animales exóticos, para decorar sofisticadamente y con gran exquisitez la comida. Este arte se popularizó en la era de Tokugawa en el siglo XVIII y era común ver por la calle a los artistas preparando los ornamentos que les habían solicitado. Actualmente, el arte mukimono y el kaishiki (arte de manejar los cuchillos en cocina) es parte fundamental en la formación de los cocineros en Japón.

La fiesta de Halloween, que se remonta a ritos druídicos, tiene como tradición que los niños transiten por las calles con calabazas ahuecadas, con velas dentro y cara calada a manera de fantasmas.

En Alemania, es costumbre que los niños saboreen casitas hechas de galletas de jengibre y especias decoradas con azúcar y con dulces.

Cerca de Hong Kong, en la isla de Cheung Chau, se organiza una fiesta llamada Tsiu, para calmar las almas de los pescadores muertos por piratas. Son cuatro días en los que se come únicamente vegetales, se organizan eventos con mucho colorido y música, payasos y acróbatas. Hacen unas pirámides de 20 metros de altura con armazón de bambú y pasteles de arroz sólidos. Los sacerdotes del lugar piden a los espíritus que se unan a la celebración. Los jóvenes trepan a las torres e intentan llegar a la cima y comer un pastel. El que lo logra es portador de buena suerte.

Los sherpas de Nepal Oriental utilizan la mantequilla de yak como combustible en sus lámparas, para pago de sueldos, para comerciar, etc. En sus ceremonias budistas hacen figuras de mantequilla pintada de colores para celebrar el comienzo del monzón.

En Bali, las ofrendas para los dioses –conocidas como Banten– son muy comunes. El arroz de colores es fundamental en sus trabajos, aunque también colocan frutas, flores, postres, etc., todo presentado en forma exótica y sofisticada; a veces hacen cuerpos humanos y caras de manteca que se pueden utilizar en ritos de magia negra o blanca.

México no se queda atrás en estas costumbres populares. Ya los aztecas fabricaban sus panes sagrados con semilla de amaranto y miel, con las caras de sus dioses y celebraban culto a sus muertos. La conquista trajo la fecha del 2 de noviembre, de origen celta, para honrar a los antepasados y se amalgama una tradición que hace que Mixquic y Janitzio se vuelvan atracción mundial por el colorido y profundidad de sus ceremonias. En todo México se llenan las panaderías y dulcerías de calaveras de azúcar y de chocolate, decoradas con oropel y nombres en la frente de cada cráneo.

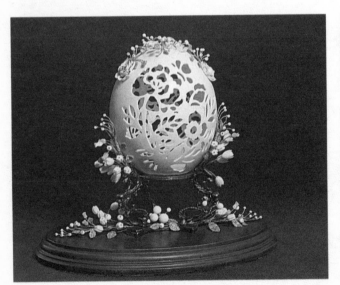

(Tradicionalmente famosa se ha vuelto la ofrenda que todos los años se coloca en honor del pintor Diego Rivera en el museo Anahuacalli.)

En Tulyehualco se organiza anualmente la "Feria de la alegría", en la cual se venden figuras moldeadas con semillas de amaranto, mezcladas con miel, nueces y pasas.

En el estado de Puebla, los dulces han establecido un reinado, consolidado durante la época colonial en los conventos. Los camotes y las

figuras de mazapán, dulces de leche, jamoncillos, cocadas, muéganos, etc., son sólo muestras de una variedad increíble. Existe ahí, además, la "casa del alfeñique", cuya fachada recuerda las formas de este dulce.

En Oaxaca, el 23 de diciembre, llamado comúnmente "la noche de los rábanos", es tradicional que se rompa el plato donde se ha comido; toda la plaza central se llena de rábanos para su venta y abundan las figuras de guerreros, ángeles, nacimientos, etc., hechas por completo de rábanos.

Son populares en Guanajuato los dulces llamados charamuscas, hechas de piloncillo y que recrean las no menos famosas momias del lugar.

En México los trabajos de azúcar son extremadamente populares, toda panadería de cierta importancia vende figuras de azúcar para decoración de pasteles.

Las calabazas son tratadas y decoradas magistralmente por los artesanos de diversas partes de la república mexicana para ser usados como adornos o cajas.

El neorrealismo y su fundador Pierre Restany forman una corriente en la década de los sesenta; los humanistas de la sociología contemporánea apartan el arte con entusiasmo. Raymond Hains y Daniel Spoerri, este último presentó en la galería de París J. una exposición con aproximadamente "723 utensilios de cocina". La galería se transformó en un restaurante cuyas paredes estaban decoradas con todo tipo de material que de alguna manera estaba relacionado con la alimentación. Los neorrealistas de todo el mundo "juegan" realizando diversas "esculturas" comestibles, exponiéndolas en diversos museos.

Actualmente, en los concursos culinarios, se exponen verdaderas esculturas realizadas a base de chocolate, combinando sus colores (blanco, café claro y café oscuro) con sus texturas (fundido, enrollado, plástico, polvo y granillo).

Tanto en Oriente como en Occidente está de moda hacer maravillosos paisajes en charolas, que se forman de productos alimenticios y se consumen como botana. En Suiza, Rico Weber prepara tortas explosivas para distintos eventos y con diferentes grados de intensidad en las explosiones.

En varias partes del mundo, tanto en teatro como en desfiles, se utilizan trajes hechos a base de alimentos. Son particularmente hermosos los del desfile de Villahermosa, Tabasco, en México.

Este panorama general y, por supuesto, no exhaustivo (ya que sería prácticamente imposible estar al tanto de las múltiples formas de uso de los alimentos en todo el mundo), nos muestra una riqueza muy especial de los usos y "abusos" de los alimentos.

Consideremos que el buen uso de los alimentos refuerza una cultura gastronómica que, de ninguna manera, está alejada del conocimiento del hombre.

INSTRUMENTOS NECESARIOS

1. Cuchillo grande muy afilado.
2. Cuchillo chico muy afilado.
3. Pelador de verduras.
4. Parisien.
5. Tijeras.
6. Juego de gubias (redondas, en punta, rizadas y punta en V para hacer surcos).
7. Palitos de bambú.
8. Alfileres.

9. Base de metal para arreglos florales.
10. Palillos.

Otros materiales necesarios son agujas, hilo, colores vegetales, palitos de algodón grueso, "flora tape" verde y blanco, carpetas, papeles listones, etcétera.

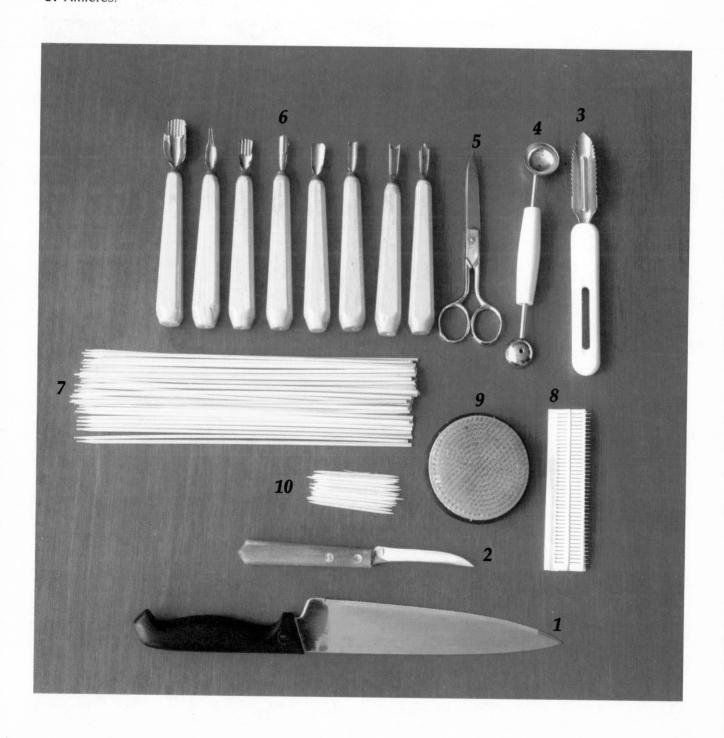

INSTRUCCIONES GENERALES PARA LA TALLA DE VERDURA Y FRUTA

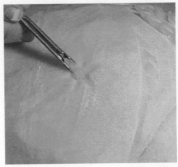
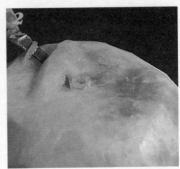

I. Es importante tener siempre bien afilados y limpios los instrumentos.

II. Para hacer un corte, un surco o un calado, la presión de los instrumentos sobre la verdura o fruta debe ser continua y firme para que se vea sin enmendaduras.

III. El agua fría ayuda a que las verduras abran más rápidamente.

IV. Es mejor remojar por separado cada verdura o fruta.

V. Para evitar que se oxiden, a las manzanas se les pone limón.

VI. No deben congelarse las verduras talladas, pues se marchitan rápidamente al utilizarse posteriormente.

VII. Seleccione pacientemente la verdura o la fruta por su forma, color o tamaño.

VIII. Algunas verduras o frutas mejoran su aspecto, si se barnizan ligeramente con aceite.

IX. Revise, al final de un arreglo, que no se vean palitos, alfileres, hilos, etcétera.

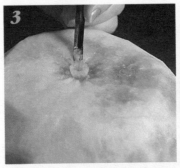

Para hacer "flores", "plumas", "escamas", etc., se llevan a cabo los siguientes procedimientos:

1. Hacer un "botón" significa dejar un relieve redondo, al cual se le ha rebajado el nivel a su alrededor.

2. Para hacer una "corona", con una gubia chica se forma un cono y se marca un borde a su alrededor, bajándose el nivel.

3. Para hacer una "flor", se talla alrededor de una corona o un botón, marcando primero una serie de muescas y retirando con la gubia un poco de pulpa para lograr que se vean cóncavas.

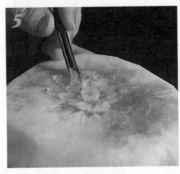

4. Se retira la pulpa por debajo de las muescas.

5. Se vuelven a marcar muescas, alternando entre los pétalos de la primera hilera.

6. Se vuelven a levantar los pétalos debajo de cada muesca. Se sigue así hasta obtener el tamaño deseado. Para "plumas" o "escamas" se sigue el mismo método, pero adaptándose a la forma natural del crecimiento de éstas, según el animal del que se trate.

7. Para hacer surcos se utiliza la gubia en V. Si se desea marcar más la diferencia de tonos, se pasa con un pincel el color deseado de acuarela entre ellos.

Índice de contenido

Frutas

AGUACATE

Presentación en platón

1. Se marca con un plumón el dibujo escogido sobre aguacate "media cáscara".
2. Con la ayuda de la gubia en V, se practican surcos siguiendo el modelo.
3. Se repasan los surcos con un color blanco de acuarela, para resaltar el diseño. Por último, se acomodan los aguacates en un platón.

CARAMBOLA

Estrellas

1. Se corta la carambola en rebanadas de medio centímetro, aproximadamente.

2. Se separa una tajada larga de un pepino.

3. Se practican cortes diagonales de 2 o 3 mm, aproximadamente, de grosor y a una distancia de 1 cm de una de las orillas.

4. Con todo cuidado, se procede a doblar los cortes alternadamente sobre sí mismos y se coloca la carambola en uno de los extremos para formar un cometa (también puede colocarse sin el doblez). Decore platillos y platones.

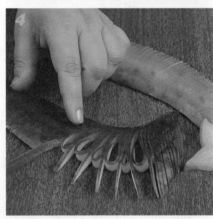

COCO

En la playa

Proceso

1. En un coco limpio de su primera cáscara, se marca con la punta del cuchillo el motivo que se va a tallar.
2. Se trabaja cuidadosamente alrededor del dibujo para bajar el nivel.
3. Se hacen los cortes pertinentes para dar volumen al motivo. También pueden agregarse, en láminas muy finas, los motivos, asegurándolos con alfileres pequeños. Se presentan con flor de limón.

CHILACAYOTE

Dulcera

Proceso

1. Con la gubia rizada se hace un pequeño hoyo en el centro del chilacayote.
2. Se marca alrededor el mayor número posible de pétalos (entre 10 y 12), retirando parte del centro de éstos para hacerlos cóncavos y darles profundidad.
3. Se continúa trabajando los pétalos, alternándolos en cada vuelta.
4. Cuando se obtenga el tamaño deseado, se hace un surco ancho alrededor de la flor para que destaque y se corta una tapa en ondas.
5. Se vacía y se limpia perfectamente.
6. Se talla alrededor de toda la tapa una flor, alternando los pétalos.

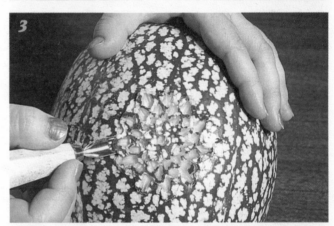

JÍCAMA

Dalias

Proceso

1. En una rebanada muy gruesa (4 o 5 cm), con gubia de punta, se marca y se vacía un cono en el centro, se marca alrededor y se baja el nivel para formar una corona.
2. Se hacen muescas alternadas a todo el rededor.
3. Se marcan los pétalos con la misma gubia.
4. Se baja nuevamente el nivel alrededor de los pétalos.
5. Los pétalos mayores se marcan con cuchillo y se sigue trabajando en la misma forma, alternando los pétalos y bajando el nivel.
6. Cuando se obtiene el tamaño deseado, se marcan profundamente los pétalos y se recorta todo el material sobrante. Se montan en palitos de bambú forrados con rabos de cebolla y se arma un arreglo a su gusto.

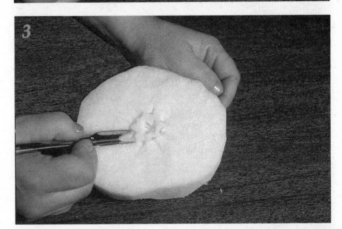

Fuente y cisne

1. Para hacer el cisne se necesitan dos jícamas grandes; una se pela y se ahueca para el cuerpo y con la otra se corta una rebanada gruesa (4 cm aproximadamente), en la cual se marcan el cuello y la cabeza. En rebanadas menos gruesas se cortan cuatro piezas para alas y cuatro piezas más chicas para la cola.

2. Se redondea la cabeza y en la jícama correspondiente al cuerpo se practican cortes, para simular las alas a los lados.

3. Se insertan las cuatro colas en la jícama y las alas de los lados se colocan con ayuda de alfileres pequeños.

4. Se coloca la cabeza con ayuda de palitos de bambú y se cubre la unión con florecitas de istate.

5. Para hacer la fuente, se necesitan cuatro jícamas de distintos tamaños; en tres de ellas se comienza tallando una rosa, pero se deja hueca en el centro (véase *Verduras*, pág. 58). Con la otra jícama se hacen los tubos centrales que cubren un palo grueso que sirve de sostén; al mismo tiempo, estos tubos son los separadores de los tres tazones. Una vez armada la fuente, se remata con una palomita, se llena de diferentes salsas y se coloca el cisne con camarones.

Cisne

1. Se utilizan jícamas grandes, se pelan y una de ellas se ahueca.
2. Se realizan cortes alrededor para simular las alas y la cola, respetando el frente para colocar ahí la cabeza.
3. Con gubia rizada, se talla todo el cisne, siguiendo la forma de crecimiento de las plumas.
4. Se hace un patrón de la cabeza y el cuello en un papel y se recorta en una rebanada de 4 cm de grueso.
5. Se redondea y se afina; se coloca en el cuerpo con ayuda de palitos de bambú; se cubre la unión con florecitas de zanahoria. Los ojos se hacen con dos clavos de olor y el pico con un pedacito de zanahoria.

   Se llena con su salsa preferida y se sirve con verduras.

En las páginas 34 y 35 dos muestras, de cisne y guajolote combinando el corte y la talla aprendidos en esta sección.

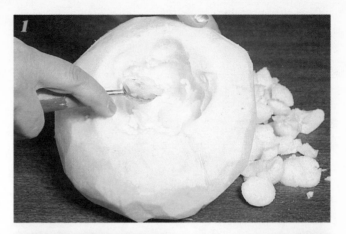

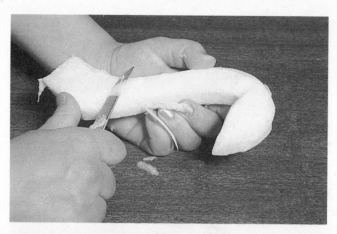

LIMÓN

Cerdito

1. En uno de los polos del limón se marcan con la punta del cuchillo dos orejas, levantándolas suavemente.
2. En el otro polo se marca una espiral y se despega la piel para formar la cola.
3. Se sacan tres rebanadas en el lomo para que queden sueltas, se colocan clavos de olor como ojos, palillos como patas y se plasma una sonrisa retirando la piel del limón que corresponde a la boca.

Sol

4. Se cortan dos rebanadas de limón de medio centímetro.
5. Se retira la piel de una de las rebanadas y en la otra se practican cortes del centro; pruebe a despegar todas las membranas de unión.
6. Se le da la vuelta completamente y dentro se le coloca la rebanada entera sin piel.

Tréboles

7. En rebanadas de limón, se practican tres pequeños cortes, dejando distancias equitativas, se les coloca un clavo de olor en el centro (deliciosos con el té).

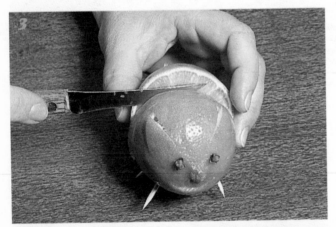

Ollita

8. El limón se parte a la mitad y se recorta una tira delgada alrededor sin llegar a cortarla hasta la mitad de la circunferencia, se deja medio centímetro y se recorta nuevamente la otra mitad y se enroscan las tiras sobre sí mismas.

Rehiletes

9. Se practican cortes hasta el centro en zigzag y se separan las dos partes. (Al hacer la ollita, se puede seguir el corte a todo lo largo de la circunferencia y formar una asa con la tira.)

Corte francés

10. Se corta la cuarta parte de un limón.
11. Se ladea y se vuelve a cortar una cuarta parte quedando dos cuarterones unidos en diagonal.

Coladera

12. Se cortan los limones a la mitad y se forran con un círculo de tul, amarrándolos con un listón adornado con florecitas y pistilos de colores. En un limón, se cortan cuarterones dejando 1 cm. Al centro, se vacía la pulpa debajo de esta asa y se le amarra de un lado un listón con florecitas.

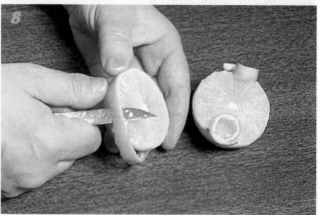

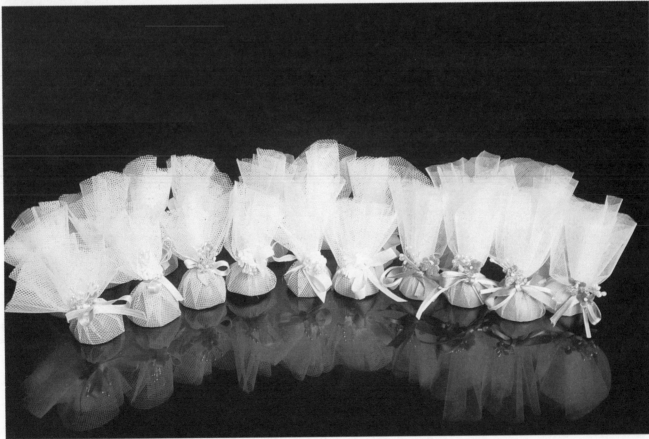

MAMEY

Veladora

Proceso

1. Se escoge un mamey grande, se vacía con cuidado por la parte más ancha, haciendo el hueco lo más pequeño posible.
2. Se marca con una pluma sobre la superficie el diseño escogido.
3. Se cala con un cuchillo afilado. Se le pone un pedazo de papel albanene y se le coloca en el interior un portalámparas.

MANZANA

Cisnes

Proceso

1. Se corta una rebanada en forma diagonal a partir del rabo.
2. Se apoya la manzana sobre la parte cortada y se sacan dos "cuarterones" dejando 1 cm en el centro.
3. En cada cuarterón se practican cinco o seis cortes en ángulo de 90 grados, empezando por el más pequeño.
4. Se separa cuidadosamente cada pieza para seguir trabajando en el cuarterón.
5. Se continúa en la misma forma hasta terminar toda la pieza; se montan todas las partes de nuevo en su lugar y se deslizan para formar las "alas" del cisne.
6. En la primera rebanada que se cortó, se talla la cabeza del cisne con la punta del cuchillo.
7. Se coloca la cabeza con un palillo, ya sea hacia adelante o hacia atrás.

MELÓN

Caracol con luz

Proceso

1. Pelar cuidadosamente un melón valenciano grande, se corta una rebanada hasta llegar a la orilla del hueco central.
2. Se marca con la punta del cuchillo una espiral en un costado del melón.
3. Se profundiza toda la espiral marcando los anillos y se vacía perfectamente, con una cuchara.
4. En una rebanada de otro melón, se talla el cuello y la cabeza, la cual se fija con ayuda de palillos, se simulan los ojos (aunque están fuera del verdadero lugar) con clavos de olor, la colita con un triángulo de cáscara. Electrificar.

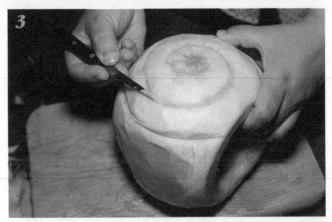

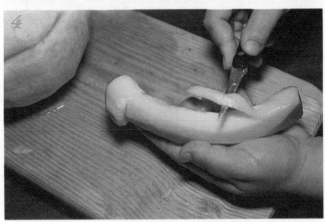

Pavo real

Proceso

1. En un melón sevillano grande, se corta una rebanada para hacer el cuerpo; se vacía y se talla alrededor con gubia rizada, simulando plumas.
2. De otro melón, se toma una rebanada de 4 cm y con ella se tallan el cuello y la cabeza, la cual se inserta en uno de los polos del melón.
3. Se hacen 25 palitos de bambú pintados de verde a los cuales se les coloca una cereza, una rebanada de kiwi y otra de pepino cortada tipo "flecos". Se colocan en forma de abanico en la parte que corresponde a la cola.

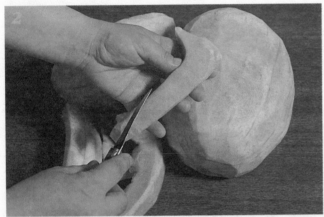

Racimos de uvas

1. Sacar las bolitas con un "parisien" y acomodar en forma de racimos de uvas, decorar con rizos de cáscara de limón y hojas de hiedra cortadas como hojas de parra.

Veladora

Proceso

1. En un melón chino grande se dibuja con un crayón el diseño escogido.
2. Con cuchillo se retira la cáscara sobrante.
3. Se termina de decorar con cerezas y se electrifica.

Bol para frutas

Tazones de melón tallados finamente (pág. 45).

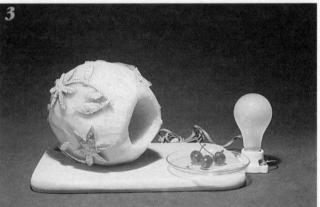

PAPAYA

Lirio

Proceso

1. Se utiliza una papaya grande, a la cual se le corta una tajada gruesa de aproximadamente 8 cm de la parte más opuesta al tallo. Se divide en seis partes y se practican cortes a lo largo sin llegar a la base.
2. Cada corte se afina en punta.
3. Se realizan cortes de forma "dentada" alrededor de cada "pétalo".
4. Se corta paralelamente la cáscara, a lo largo de cada pétalo, todos los cortes que quepan de aproximadamente medio centímetro.
5. Con la gubia en V se marcan nervaduras en la cáscara de cada pétalo.
6. Con la punta del cuchillo se calan nervaduras alternadas. La papaya se coloca en un platón, decorada con cerezas y con la primera tajada encima, trabajada en la misma forma.

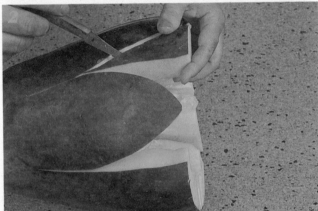

49

Papaya tailandesa

1. Se pela una papaya amameyada y trabajar en la base las hojas, dejando parte de la cáscara verde.
2. Se talla una flor como la de calabaza.
3. Se marcan tallos largos y sinuosos, profundamente.
4. Se tallan hojas con el limbo dentado a lo largo de toda la papaya, con mucho movimiento.
5. Se retira la pulpa sobrante para dejarla en volumen, decorar la base con flores de sandía y papaya alternadas, y hojas de sandía.

En las páginas 52 y 53 se observa el trabajo en papaya con gubia y cuchillo fino.

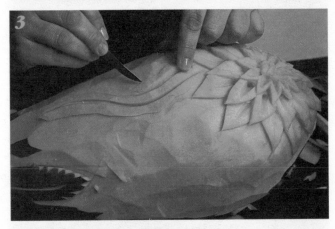

PIÑA

Pájaro

Proceso

1. Se escoge una piña de doble penacho y se corta en diagonal a la mitad de la piña.
2. Se cortan las hojas del penacho con tijeras, para dejar cada hoja palmeada.
3. En un camote amarillo se talla la forma del cuello y la cabeza de un pájaro.
4. Se talla con gubia rizada una serie de "plumas", siguiendo lo largo del cuerpo.
5. Se le ponen los ojos de pimienta gorda y el pico de chile cuaresmeño con un palillo, se coloca la cabeza sobre la piña con ayuda de un palito de bambú.

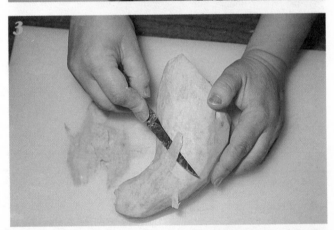

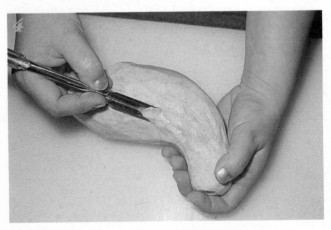

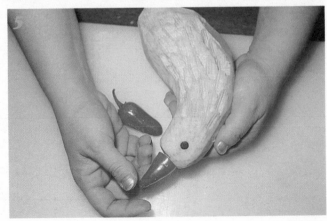

54

Veladora

Proceso

1. Se escoge una piña grande con penacho fresco y hermoso, y se corta aproximadamente al tercer ojo de la piña.
2. Del lado de la base también se corta una rebanada de aproximadamente 3 cm.
3. Con un cuchillo grande se corta entre la cáscara y la pulpa a una distancia de 2 cm de la cáscara hasta la mitad de la piña. Lo mismo se hace con la base.
4. Se empuja desde uno de los polos para dejar completa la cáscara.
5. Se calan los ojos de la piña en forma alternada.
6. Las hojas del penacho se doblan atorándolas sobre sí mismas. Se coloca papel albanene en el interior de la piña, a la vez que se electrifica.

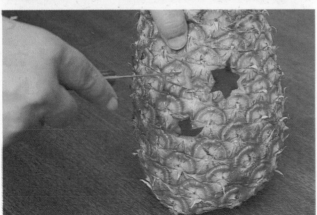

Gallitos de pelea

Proceso

1. Se utilizan penachos grandes de piña, a los cuales se les practican cortes longitudinales en sus hojas.
2. Se pintan de varios colores con pintura de agua o aceite (básicamente azul, amarillo, rojo y naranja).
3. Se tallan en zanahoria y nabo la cabecita y parte del cuerpo, como se ve en la fotografía, colocando unos clavos de olor como ojos.
4. Se talla el "plumaje" en el cuello y con betabel o pimiento morrón se hacen la cresta y las papadas, las cuales se insertan en la cabeza, se coloca el penacho a manera de cola de gallo.

Flor

Proceso

1. En una piña grande, se corta aproximadamente la tercera parte del lado del penacho.
2. Se divide en seis partes iguales, haciendo una muesca en el borde.
3. Cuidadosamente, con un cuchillo grande se separa la pulpa de la cáscara a 1 cm de distancia.
4. Se corta en forma vertical desde las muescas hasta 4 cm de la base y se redondean los pétalos.
5. Se baja el nivel de la pulpa restante.
6. Se hace en cada pétalo un corte paralelo a éste.

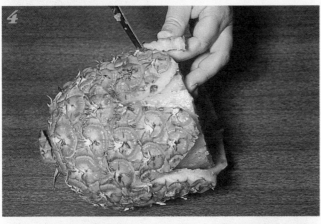

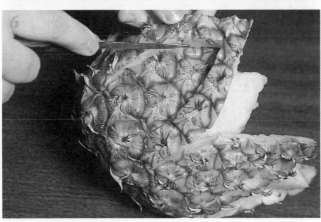

7. Se marca la segunda ronda de pétalos, alternando los cortes.

8. Para hacer la tercera ronda de pétalos y hasta el final, se trabaja redondeando y traslapando los pétalos, se presenta con cerezas y hojas de pino.

PLÁTANO

Vela

Proceso

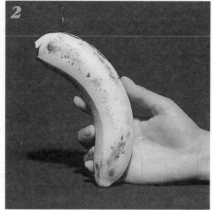

1. Se corta un trozo de plátano lo más recto posible y se le coloca un trozo de nuez en el centro de uno de los extremos. (La nuez tiene suficiente aceite para prender "la vela".)

Plátanos mágicos

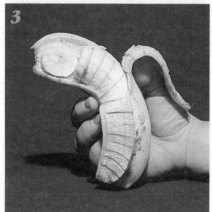

2. Se utiliza una aguja de canevá que se entierra en el lomo del plátano y se hace girar a la derecha y a la izquierda suavemente cortando el plátano sin dañar la piel, se saca y se repite el mismo paso medio centímetro abajo, y así sucesivamente hasta terminar con el plátano.
3. Cuando el plátano se abre por primera vez, ¡ya está cortado!

SANDÍA

Pebetero romano

Proceso

1. Se utiliza una sandía grande y larga, se parte en dos aproximadamente a las dos terceras partes, se marcan seis muescas en la cáscara y se vacían.
   Se practican cortes verticales a lo largo de la sandía en donde se pusieron las marcas equidistantes aproximadamente a 10 cm del final y en la parte pequeña se corta hasta el centro para dividirla totalmente en seis "hojas".
2. Se corta con un cuchillo el borde de las hojas para hacerlo palmeado y con gubia en V se marcan las nervaduras.
3. Se afinan en punta los pétalos de la sandía grande, se calan los bordes y se tallan las nervaduras como en el paso anterior.
   Se presenta con un ligero baño de aceite para que brille, acomodando las hojas alternadamente con flores rojas. Se llena de frutas, terminando en ciruelas, pasas y cerezas. Se prende con trozos de azúcar empapados en ron.

 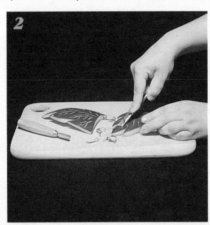 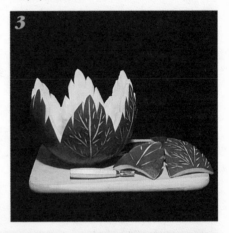

Flor de cactus

Proceso

1. Se corta una rebanada en el lado opuesto al del tallo, para que la sandía pueda pararse sobre él. Se divide en seis partes y se marcan los "pétalos", de aproximadamente 10 cm.

2. Se pela el resto de la sandía, se recorta el borde de los pétalos para hacerlos palmeados y con gubia se marcan las nervaduras.

3. Se inicia el tallado con una gubia rizada chica, en forma vertical se hace un cono para formar una corona.

4. Una vez marcado el borde alrededor del cono, se desbasta con cuchillo hasta que sobresalga aproximadamente 1 cm la corona.

5. Se marcan alrededor de ésta 12 muescas.

6. Se levantan los pétalos debajo de cada muesca y se desbasta.

7. Se continúa la segunda ronda de pétalos, alternándolos con los primeros, y así sucesivamente.

8. Se trabaja en forma horizontal hasta llegar al borde de la sandía.

9. Cuando hay que empezar a dar curva, se trabaja inclinando los instrumentos y utilizando gubias más grandes, según lo requiera el tamaño del pétalo.

10. Se continúa trabajando en la misma forma toda la fruta, teniendo cuidado de sacar los pétalos debajo de los anteriores y bien centrados.

Obsérvese que ahora se vuelve a trabajar en forma vertical, pero de abajo arriba. Cuando se presenta se le pueden agregar hojas, alternándolas con cerezas y tiritas hechas con la parte blanca de la cáscara.

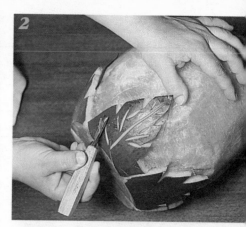
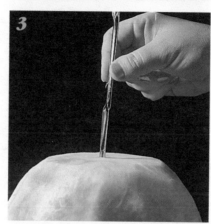
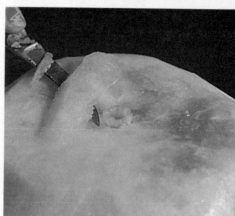
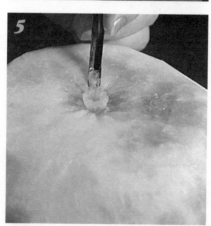
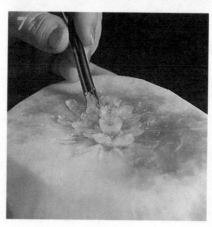
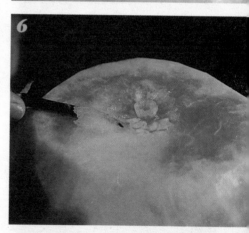

64

Ejemplo de "Flor de cactus" trabajada finamente.

Canasta con moño

1. Se marca sobre la sandía un gran moño con ayuda de un patrón hecho en papel, teniendo cuidado de centrar bien el asa.
2. Se recorta siguiendo las marcas, evitando romper la base de los postes que unen el asa a la sandía y se extrae la pulpa.
3. Se calan pequeños hojales alrededor de la canasta, debajo de cada onda. Se presenta con frutas, gelatina o helado.

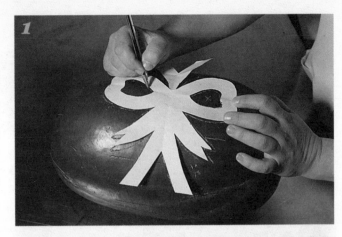

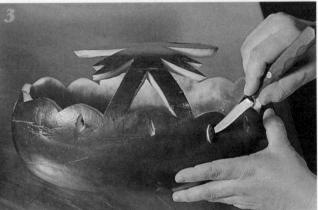

66

Canasta con flores y hojas

Proceso

1. Se utiliza la cáscara de la sandía por la parte interna; se recortan "hojas", se marcan la nervadura central y las alternas con la punta del cuchillo.
2. Se desbasta alrededor de las nervaduras para que queden elevadas 3 o 4 mm.
3. Se marca un "botón" en un trozo de cáscara.
4. Alrededor del "botón", se hacen seis muescas, con gubia redonda o rizada.
5. Se levantan los pétalos alrededor de las muescas.
6. Se desbasta con cuchillo; se repite la segunda o tercera ronda de pétalos, cortando el material excedente al final y así tener florecitas de distintos tamaños. Se fijan en una sandía con ayuda de alfileres, alternando hojas en forma armónica.

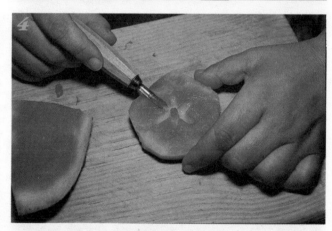

Ejemplo de sandía tallada con rosas sobre la pulpa.

Ejemplo de flores talladas con gubia y hojas con la técnica de la canasta de flores.

Canasta calada con cadena

Proceso

1. Se utiliza una sandía que tenga forma regular. Se marca con ayuda de un patrón de papel en forma de ojal (puede tener la forma que uno desee: rectangular, acorazonada, etc.), una flor en cada polo y una a la mitad de lo largo, "encadenándolas" con el mismo dibujo superpuesto.

2. Se recorta la parte superior de la sandía y se vacía.

3. Con cuchillo, se calan los ojales y con gubia se marca la parte inferior de éstos. Se calan pequeños ojales verticales en la parte baja del tallado y se presenta con frutas talladas.

Máscara sobre la cáscara

1. Se utiliza una sandía larga, sobre la cual se diseña una cara con barbas y se marca con gubia en V, quitando con cuchillo el excedente de algunas zonas.
2. Se raspa con la punta del cuchillo para arquear las cejas.
3. El bigote debe quedar realzado, pero sin color verde.
4. Las barbas se marcan profundamente con gubia en V. Se decora al gusto. (Esta máscara tiene "cuernos" de zanahoria, orejas y collar de penachos de piña.)

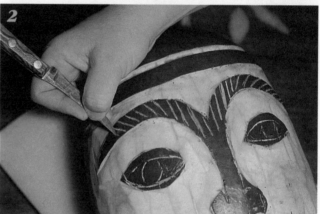

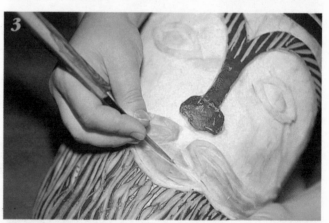

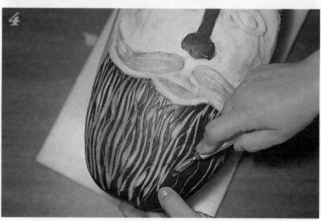

Máscara ritual

1. Se escoge una sandía grande. Se pela la cáscara verde, respetando la parte blanca.
2. Se marcan surcos profundos que formen una máscara con la boca abierta, procurando llegar a la pulpa roja.
3. Se coloca una tira de "dientes" tallados en jícama con ayuda de palillos y el iris de los ojos con un pedazo de cáscara verde; se decora la coronilla con una serie de flores de verdura. (En este libro encontrará muchos ejemplos.)

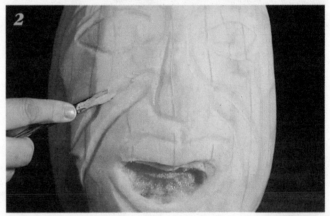

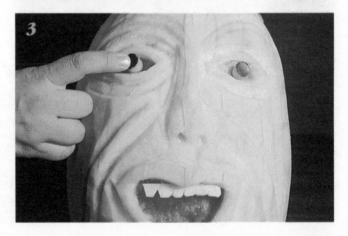

Veladora de hojalata mexicana

Proceso

1. Se corta una "tapa" en uno de los extremos de la sandía; puede ser en uno de los polos o en un costado y se vacía toda la pulpa.
2. Con gubia en V grande se perfora realizando el diseño deseado.
3. Se completa el trabajo perforando con un palito de bambú y se electrifica.

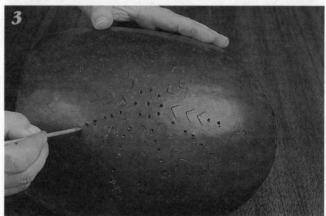

Aves del paraíso

Proceso

1. Se marca sobre una sandía, con ayuda de un patrón de papel, un "ave del paraíso".
2. Se hacen surcos profundos con gubia en V en el dibujo.
3. Se recorta cuidadosamente separándolo de la sandía.
4. Se empareja el nivel de la pulpa en la parte interior.
5. Dibuje y talle el cuerpo de un ave del paraíso igual que el del proceso número 1.
6. Se cala alrededor y se saca de la sandía, se limpia de la parte interior.

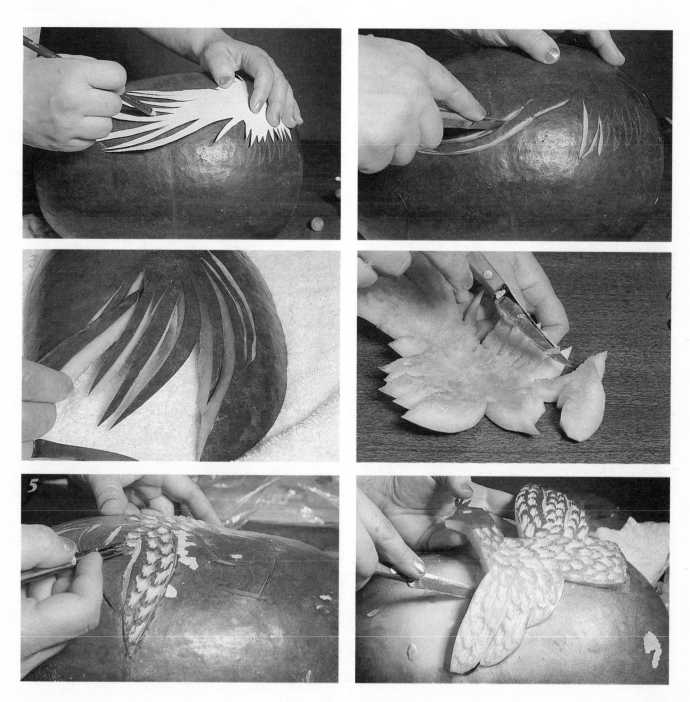

7. Se marca con ayuda de un patrón la cola del ave del paraíso.

8. Se recorta y se cala cuidadosamente, se une al cuerpo con palitos de bambú.

9. Para escarchar la fruta de este trabajo, se barniza con clara de huevo.

10. Se revuelca en azúcar. Se coloca en un frutero grande y se acomodan las aves sobre ésta.

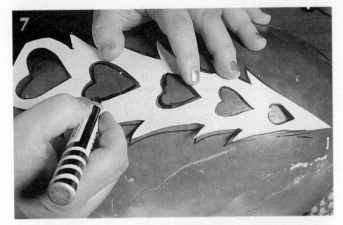

Veladora del dragón

1. Se escoge una sandía grande en la que se dibuja un dragón.
2. Se marca todo el dibujo con gubia en V, dejando muy claros los surcos, y con gubia rizada se tallan las "escamas", siguiendo la forma "natural" de crecimiento en todo el dragón.
3. Se retira todo el resto de la cáscara verde, dejando la parte blanca lo más lisa posible.
4. En la parte de abajo se hace un corte para sacar toda la pulpa roja (se pueden dejar zonas con una poca para que se vea de dos tonos) y se electrifica.

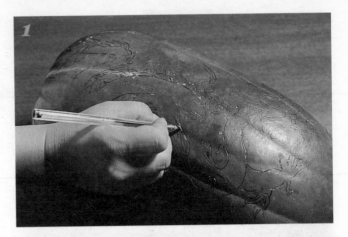

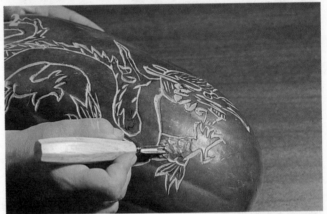

Tazón de fresas

Proceso

El tazón de fresas se realiza en forma similar al trabajo realizado en las máscaras. Se marca un dibujo y, con ayuda de la gubia en V, se hacen los surcos correspondientes. Con un cuchillo se retira la cáscara verde, se corta una tapa y se vacía.

Virgen de Guadalupe

Ejemplo de trabajo con varias frutas y verduras

1. El cuerpo es de tres sandías.
2. El manto está pintado con color vegetal sobre lo blanco de la sandía.
3. El resplandor está tallado en jícama y coloreado con color vegetal.
4. El rostro y las manos son de jícama así como el ángel, todo se fija con palillos.
5. Las rosas son de betabel.
6. Corona de jícama con chícharos y manzana.

En la página 84 aparece una canasta de rosas tallada en sandia

TORONJA

Rosas

Proceso

1. Se escogen toronjas con cáscara gruesa y se pelan, quitando sólo la parte amarilla de la cáscara.
2. Por segunda vez se pelan, ahora en espiral, para aprovechar esta parte blanca de la toronja.
3. Se enrolla sobre sí misma bien apretada y se atora en un palito de bambú.
4. Se practican cortes alternados, si se desea, se pintan, sumergiéndolas un momento en agua con color vegetal.

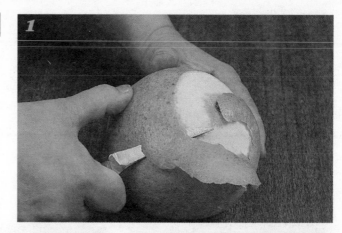

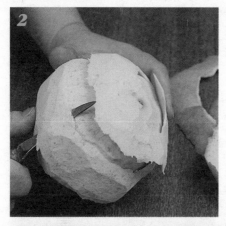

85

UVAS

Árbol de uvas

Proceso

1. Con "tela" de gallinero y palos de "algodón" se forma una estructura cónica y su colocan en ella ramos de uvas amarrados con un cordón, comenzando por arriba.
2. Se continúa avanzando hacia abajo y se amarra en redondo con el cordel.
3. Cuando se cubre por completo la estructura se repasa el atado y se colocan cerezas alternadamente y unas cuantas hojas de hiedra.